Yuu Watase

AYASHI no CERES 12
Un conte de fées céleste

AYASHI NO CERES 12

AYA MIKAGÉ

ELLE S'EST DÉCIDÉE À SE BATTRE CONTRE SON DESTIN, À RETROUVER LA ROBE DE PLUMES ET À RENVOYER CÉRÈS CHEZ ELLE.

RÉSUMÉ :

AYA MIKAGÉ, JEUNE LYCÉENNE APPAREMMENT NORMALE, EST LA DESCEN-
DANTE D'UNE NYMPHE CÉLESTE. UN JOUR, SA PROPRE FAMILLE, LES
MIKAGÉ, APPRENANT QUE AYA PORTE EN ELLE LES GÈNES DE LA NYMPHE,
MONTE UN PLAN POUR L'ASSASSINER. ACCULÉE FACE À LA MORT, AYA EN PERD SA
PERSONNALITÉ ET SE CHANGE EN CETTE FAMEUSE NYMPHE, CÉRÈS. CELLE-CI
DÉCLARE À AKI, LE FRÈRE JUMEAU DE AYA, QU'IL EST CELUI QUI LUI A VOLÉ SA
ROBE DE PLUMES !

KAGAMI MIKAGÉ QUANT À LUI, MET EN PLACE LE "PROJET C". SON PLAN CONSIS-
TE À METTRE EN ÉVIDENCE LES GENS PORTEURS DU "GÉNOME C" (CELUI DES
NYMPHES) ET À LES RASSEMBLER POUR S'EN SERVIR. MAIS TOYA, L'HOMME DE
MAIN DES MIKAGÉ, FINIT PAR S'ÉLOIGNER DE KAGAMI ET DES MIKAGÉ POUR REVE-
NIR AUPRÈS DE AYA.

PEU APRÈS, L'ANCÊTRE DES MIKAGÉ RENAÎT DANS LE CORPS DE AKI ET LE
"PROJET C" EST REMIS EN ROUTE !!

AYA ET TOYA, QUANT À EUX, SE SONT JURÉS DE NE PLUS JAMAIS SE QUITTER ET
ENTAMENT UNE NOUVELLE VIE À DEUX.

ISBN SÉRIE 2-84580-0487 / ISBN VOL. 2-84580-186-6
ISBN ÉD. ORIGINALE 4-09-137645-2

AKI MIKAGE

LE FRÈRE JUMEAU DE AYA. IL EST LA RÉINCARNATION DE L'HOMME QUI FORÇA JADIS CÉRÈS À DEVENIR SON ÉPOUSE !!

YUHI AOGIRI

SUZUMI LUI A ORDONNÉ DE VEILLER SUR AYA, IL LUI A DÉCLARÉ SON AMOUR MAIS ... !?

TOYA

IL A PERDU LA MÉMOIRE. IL S'EST LIBÉRÉ DE L'EMPRISE DE KAGAMI ET RESSENT DE L'AMOUR POUR AYA...

ILS N'ONT PLUS QU'UN OBJECTIF EN TÊTE : RETROUVER LA "ROBE DE PLUME" ET LES SOUVENIRS PERDUS DE TOYA !
DANS CE BUT, ILS SE RENDENT SUR L'ÎLE DE HACHIJO... ET LÀ, NE TARDENT PAS À DÉCOUVRIR, À LEUR GRAND ÉTONNEMENT, QU'ILS S'ÉTAIENT DÉJÀ RENCONTRÉS NEUF ANS AUPARAVANT...
PENDANT CE TEMPS, KAGAMI ET SON ÉQUIPE ÉTUDIENT DE TRÈS PRÈS LE VESTIGE DE LA ROBE DE PLUMES ET CONSTATENT QUE CELUI-CI RÉAGIT AU POUVOIR DES NYMPHES !
KAGAMI DÉCIDE DE POUSSER PLUS AVANT SES RECHERCHES QUANT À LA RECONSTITUTION DE LA ROBE DE PLUMES, MAIS IL A BESOIN D'UN PUISSANT POUVOIR POUR ARRIVER À SES FINS... CELUI DE CHIDORI !!...

...
PFF... SANS LEUR MAUDIT "POUVOIR" LES NYMPHES NE SONT QUE DE VULGAIRES FEMMES COMME LES AUTRES !

ABSOLUMENT... ET CE SERA BIENTÔT LE TOUR DE CÉRÈS DE S'EN APERCEVOIR ...

OUI, UNE ÎLE SITUÉE AU SUD DE TOKYO... QUELQUE PART DANS LE PACIFIQUE...

... HACHIJO ...?

IL Y A BIEN UNE LÉGENDE CONCERNANT CETTE ÎLE ET LA ROBE DE PLUMES... MAIS TOUT EST SI FLOU QUE JE NE PENSE PAS QUE...

... AYA MIKAGÉ ET TOYA SE SONT RENDUS SUR L'ÎLE DE HACHIJO... LA FAMILLE MIKAGÉ Y AURAIT UNE VILLA PARAÎT-IL... !

9

QUOI ?! NE ME DIS PAS QUE C'ÉTAIT TOI CET ENFANT TOYA ?!!!

SEULEMENT, DANS CE CONTE, C'ÉTAIT BIEN MOI LE RÔLE PRINCIPAL

IL N'Y A LÀ NI MEN-SONGE NI VÉRITÉ...

"LA... DIXIÈME NUIT... ?"

... TU AS RAI-SON, CE GENRE DE CHOSE N'ARRIVE QUE DANS LES CONTES DE FÉES ...

T'AS TROP LU DE BD !

ARRÊTE DE TE MOQUER DE MOI !! COMMENT VEUX-TU QU'UN HUMAIN GRANDISSE AUTANT EN SI PEU DE TEMPS ?!!!

CHERCHE LA ROBE DE PLUMES EN TOUTE TRANQUILLITÉ... POUR RENDRE LA VIE... À CELLE QUI EST EN TOI...

AFIN D'UNIR... NOS CŒURS ET NOS CORPS...

...DE NOUS DÉSIRER ...

TOYA

UNE FOIS CÉRÈS REPARTIE, LE "FONDATEUR" REDEVIENDRA AKI ALORS... NE TE DÉCOURAGE PAS ...

"PLUS QUE SEPT MOIS"

... AYA ...

JE TE SUIVRAI PARTOUT OÙ TU IRAS...

...LES PAROLES DE CÉRÈS TE TRACASSENT TOUJOURS AUTANT ?

...
TU NE TE SENS PAS MIEUX ?

IL EST TEMPS D'EMBAR-QUER

NON
...

AYA !

...
NOUS NE DEVONS PLUS TRAÎNER, JE SUIS INQUIET POUR "AKI"... ET MALGRÉ TOUT, POUR LES MEMBRES DE TA FAMILLE, KAGAMI ET LES MIKAGÉ
...

...
JE N'EN SAIS RIEN... POURQUOI M'A-T-ELLE DONNÉ SIX MOIS ? QU'EST-CE QU'IL LUI A PRIS ?... JE SUIS CONSCIENTE DE MON IMPUISSANCE À RETROU-VER SA ROBE MAIS
...

...
ET TOI TOYA ? TU PRÉFÉRE-RAIS PEUT-ÊTRE ENCORE RESTER À HACHIJO, NON ? TU VIENS JUSTE DE RETROUVER L'ENDROIT OÙ TU AS VÉCU IL Y A SI LONGTEMPS ET
...

MADAME SUZUMI !

VOUS M'AVEZ L'AIR EN PLEI-NE FORME TOUS LES DEUX...

SALUT !

ALLEZ, FAITES PAS TANT DE CHICHIS !

SAP

COMPARE-MOI À UN MONSTRE PENDANT QUE TU Y ES !!!!

NIAK

TOUT AU FOND DE LUI, C'EST UNE VRAIE TÊTE DE GLAÇON FONDU !

...NE T'EN FAIS PAS, C'EST SA TIMIDITÉ QUI LE FAIT PARLER... C'ÉTAIT LUI LE PLUS EXCITÉ DE RECEVOIR VOTRE VISITE !

PSST PSST

ABSO-LUMENT !

GLOURP

JE N'AI RIEN À VOIR AVEC CE SOURIRE !!

HÉ LÀÀÀ, FAITES ATTENTION AVEC VOTRE PÉPIN !!

AAH AH AH AH

....

40

COMMENT VAS-TU AYA ?

LE FONDATEUR ...!

...
TOYA EST AVEC TOI ?
...ALORS ? J'ESPÈRE QUE VOUS AVEZ PRIS VOTRE PIED PENDANT LES CINQ MOIS QUE VOUS AVEZ PASSÉS ENSEMBLE ?!

JE SUIS VRAIMENT NAVRÉ DE DEVOIR GÂCHER VOTRE PETITE VIE TRANQUILLE MAIS... JE TENAIS À VOUS PRÉVENIR QUE JE ME SUIS PERMIS D'INVITER CHEZ NOUS UNE PERSONNE QUI VOUS EST CHÈRE...

...AÏE !! LÂCHEZ-MOI À LA FIN !

KAGAMI EN A BESOIN POUR SES EXPÉRIENCES... JE PENSE QUE LE MOMENT EST FAVORABLE POUR COMMENCER À VOUS BOUGER UN PEU !

JE VAIS QUAND MÊME VÉRIFIER !!

... CE N'EST PAS VRAI ! ON M'A POURTANT AFFIRMÉ HIER QUE TOUT ALLAIT BIEN !!

CHIDORI ...!?

SHOTA !?

BLAF

AYA !! IGNORE CETTE ORDURE !!

GRANDE SŒUR !!

EH OUI AYA, TÔT OU TARD TU M'APPARTIENDRAS, TANT QUE "CÉRÈS" LOGERA EN TOI !!

46

48

LES BLA-BLAS DE YUU WATASE

Salut, c'est Watase ! Me v'là enrhumée en plein été, je tousse et j'ai la goutte au nez. Pour le nez, il se pourrait bien que ce soit à cause de ma sinusite… Bref, je vous ai parlé dans ce volume de "l'île de Hachijo" et je suis allée sur place récolter des infos. Le temps n'était pas clément mais c'est un superbe endroit ! Un vrai pays méridional ! La température est la même qu'à Kagoshima, il n'y faisait pas trop chaud… (faut dire que nous étions en mai). J'ai fait mon "baptême de plongée" !! J'ai toujours porté de l'intérêt à ce sport mais je n'avais jamais trouvé l'occasion d'en faire… et puis, vous me direz, les paysages maritimes, ce n'est pas ce qui manque dans "Ayashi" alors je me suis dit que ça tombait bien. J'ai mis ma combinaison par-dessus le jean (le moniteur, lui, était équipé jusqu'au cou) et hop ! dans l'eau… Le soleil n'était pas au rendez-vous, les vagues étaient déchaînées et on a eu un semblant de pluie. Allez, ouste… je me suis dit tout en avançant à petite allure. La nage et moi, ça fait deux ! J'avais le cœur qui battait à cent à l'heure ! Les vagues déferlaient, splatch !! Ouaaaah, l'eau est super saléééééee !! J'ai mis mes bonbonnes d'oxygène une fois dans l'eau et je me suis entraînée à respirer doucement… et ce fichu masque qui ne tenait pas en place (je ne me rappelle même plus la marque) !!
Au moment où la respiration et le fonctionnement du matériel me semblaient acquis, j'allais plonger quand j'ai failli me retrouver en vrac à cause d'une vague ! La peur de ma vie ! Je me suis cramponnée au moniteur qui a failli se noyer !! Ouais… c'était pas vraiment génial pour une première, désolée.

"MA ROBE DE PLUMES, VITE !!"

… JE LA RETROUVERAI ALORS… NE TUE PAS… AKI !

AYA !

52

ÇA IRA... J'EN SUIS... SÛRE

57

IL Y A AUTRE CHOSE QUE JE VEUX RAMENER EN PLUS DE CES ENFANTS ...

JE NE PEUX PAS ALLER PLUS VITE QUE LA MUSIQUE ! CE NE SONT PAS DES GENS QUE L'ON BOUSCULE ...!

FAUT TOUJOURS QUE TU TRAÎNES !!

DANS CE CAS, DÉPÊCHE-TOI DE L'APPELER !

JE VAIS DEMANDER À PÈRE AOGIRI DE NOUS ENVOYER DES HOMMES COMPÉTENTS !!

... CETTE "ROBE DE PLUMES" ...!

SIX MOIS ...

AVANT SIX MOIS ...

TROUVER LA ROBE DE PLUMES

58

MADEMOISELLE AYA, JE VOUS APPORTE VOTRE REPAS ! UNE DÉLICIEUSE SOUPE AU RIZ À LA YUHI ! IL M'A CHARGÉE DE VOUS FAIRE MANGER TANT QUE C'EST CHAUD ...

TAP TAP

PFF, ET COMME UN FAIT EXPRÈS, ME V'LÀ CLOUÉE AU LIT... JE M'DEMANDE CE QUI A PU ME CAUSER CETTE FIÈVRE !!

QUESTION TABOU

HEIN ? MAIS... ET YUHI, IL EST OÙ ?

BON, C'EST PAS GRAVE ...

DITES, VOUS ALLEZ ENCO-RE LE GAR-DER LONG-TEMPS CE DÉGUISE-MENT ?!

BEN, ÇA ALORS ! C'EST UNE BONNE QUESTION, JE VOUS REMERCIE DE ME L'AVOIR POSÉE !

BON APPÉ...

UN
BÉBÉ
... ?!

ENCEINTE
?!...

...
NON, JE
N'Y
CROIS
PAS
...

"...PLUS
QUE SEPT
MOIS"

TU AS EU
TES RÈGLES
NORMALE-
MENT CES
TEMPS-CI !?

UN ENFANT
?!

...
OOH, J'AI
DEUX
MOIS... DE
RETARD
...

"NON... SIX
MOIS"

HEIN
?

...
AAH
...

VOUS M'FAITES RIRE... !! VOUS N'ÊTES QU'UN MINABLE !! VOUS AVEZ ASSASSINÉ MA FAMILLE ET VOUS PERSÉCUTEZ AYA !!!

C'EST VOUS... KAGAMI MIKAGÉ !?

JE VOUS REMERCIE DE COOPÉRER SI GENTIMENT À NOTRE PROJET C

JE NE SAURAIS TROP VOUS RECOMMANDER DE VOUS SOUMETTRE À NOS EXPÉRIENCES SANS FAIRE D'HISTOIRE ...

TOUT CE QUE JE VOUS DEMANDE, C'EST DE PROJETER VOTRE POUVOIR SUR CE VESTIGE... VOILÀ CE QUE J'ATTENDS DE VOUS ...

... VOTRE PETIT FRÈRE A ÉTÉ PLACÉ SOUS BONNE GARDE ...

BIZARREMENT, JE TROUVE QUE LE FONDATEUR SE PLIE TROP FACILEMENT À MES ORDRES CES TEMPS-CI... J'ESPÈRE QU'IL N'EST PAS AU COURANT DE CETTE TENTATIVE DE "RECONSTITUTION DE LA ROBE DE PLUMES"... WEÏ

... SOYEZ SANS CRAINTE

SHOTA KURUMA EST AVEC LE FONDATEUR ?

SI CE VESTIGE VENAIT À SE TRANSFORMER EN ROBE DE PLUMES, IL DEVIENDRAIT UN PUISSANT ÉCHANTILLON

AINSI, NOUS N'AURIONS PLUS À ATTENDRE QUE LE FONDATEUR NOUS DISE OÙ SE TROUVE LA ROBE DE CÉRÈS CAR NOUS EN POSSÉDERONS UNE !!

CE DONT J'AVAIS BESOIN C'EST LA "RÉINCARNATION DE AKI EN FONDATEUR"... IL DEVIENT TELLEMENT PLUS SIMPLE DE TROUVER DES ALLIÉS QUAND ON POSSÈDE UN TEL EMBLÈME ...

VOUS VOULEZ DIRE QUE... LE FONDATEUR NE VOUS SERVIRA PLUS À RIEN... ?

DANS CES VASES

UNE OPÉRA-TION... ?!! JAMAIS !! LÂCHEZ-MOI !!

SHOTA !! SHOTAAA !!

C'EST INUTI-LE, CELA VA FAIRE 2 HEURES 15 MINUTES ET 21 SECONDES QU'ELLE EST DANS CET ÉTAT...

FLAP FLAP

... AYA !

AYA !?

* CÉLÈBRE ACTRICE QU'ON DIT TRÈS JOLIE

VAS-TU CESSER TES ÂNERIES ?!!

PEUT-ÊTRE QU'ELLE A ÉTÉ SURPRISE DE S'APERCEVOIR À QUEL POINT JE RESSEMBLE À NORIKA FUJIWA-RA*

ÇA ALORS, MÊME TON VISAGE NE LUI FAIT PLUS AUCUN EFFET MADAME KYOU...

T'AS DIT QUELQUE CHOSE ?

JE... NE M'EN ÉTAIS PAS APER-ÇUE... MES RÈGLES ÉTAIENT IRRÉGULIÈRES, JE... NE M'ÉTAIS PAS... POSÉE DE QUESTION...

CE QUE CELA POURRAIT ÊTRE D'AUTRE ...

... JE NE VOIS PAS

CE N'EST FRANCHE-MENT PAS LE MOMENT !! ALORS QU'AYA POURRAIT ÊTRE ENCEINTE !! L'HEURE EST GRAVE !!

72

ET MOI...

NE T'EN FAIS PAS ! DEMAIN NOUS IRONS ENSEMBLE VOIR UN MÉDECIN ! RIEN N'EST ENCORE SÛR ...

MADEMOI-SELLE AYA ! N'AYEZ PAS PEUR !!

HYAAA AAH !

JE NE SAIS PAS... COM-MENT... VOUS L'EX-PLIQUER ...

...NON... CE N'EST PAS ÇA... CE N'EST NI DU REFUS NI DE LA CRAINTE ...

... JE VAIS ALLER TE CHERCHER UNE BOIS-SON CHAU-DE... ÇA TE FERA DU BIEN !

CONÇU PAR LUI

UN ENFANT DE TOYA

LES BLA-BLAS DE YUU WATASE

C'est à cet instant précis que je me suis dit : "C'est bien la première fois que je mets les pieds à la mer !!". Cela fait au moins 18 ans que je ne me suis pas pointée dans une piscine ! Ma peur était donc justifiée ! Cependant, j'ai pris mon courage à deux mains pour me glisser dans l'eau. Peu à peu... je parvenais à me décontracter et je pouvais même prendre le temps d'admirer les poissons... Le ciel étant couvert, le fond de l'eau n'était pas très éclairé mais en fin de compte j'avais l'impression de me retrouver dans un tout autre monde. J'ai pivoté plus d'une fois sur moi-même à cause de l'air qui logeait dans ma combinaison mais finalement lorsque l'on en prend l'habitude, c'est plutôt amusant. On respire différemment que sur Terre et quand vous laissez échapper un "ouaouh !" provoqué par la splendeur des lieux, vous ne devez pas oublier votre respiration (rires) ! Et plus la pression monte (plus vous allez dans les profondeurs), plus vous prenez conscience de votre matériel ! Oups, un poisson !... C'est dingue comme on devient attentif à tout (rires). J'ai dû m'aventurer à une dizaine de mètres. "Merci beaucoup".

...Chaque fois que je remontais à la surface, c'était avec de grands regrets en me disant que je pourrais progresser avec une semaine entière de pratique. La prochaine fois, j'aimerais bien visiter les fonds d'Okinawa. Paraît-il qu'il y aurait même des dauphins vers les îles avoisinantes... Oui, mais je suis sûre de paniquer à fond s'ils s'approchent de moi (rires). Va falloir que je m'habitue à eux. J'adore les dauphins et j'aimerais bien en avoir un comme copain. Je plane complètement quand je vois des dessins de dauphins, oui oui c'est à ce point ! (rires). N'empêche que les humains ont besoin de tout un attirail plus ou moins encombrant pour explorer ciel et mer... J'avoue que j'apprécie énormément la mer mais le ciel m'attire aussi et Cérès me rend drôlement jalouse.

SALUT ! NOUS ON PART PAR LÀ ! FAITES GAFFE LES VIEUX !

...COMMENT ÇA, "LES VIEUX" ??!

VOICI LE PLAN DU LABORATOIRE DE RECHERCHES DES MIKAGÉ

SECTEUR A SUD, C'EST ICI... IL EST RELIÉ AU SOUS-SOL B5...

EN S'INFILTRANT DANS LES CONDUITS DE MAINTENANCE ON DEVRAIT POUVOIR Y ARRIVER...

BROUILLEZ LES DÉTECTEURS DE SURVEILLANCE CONNECTÉS À L'ORDINATEUR CENTRAL...

BON, SÉPARONS-NOUS EN TROIS GROUPES... VOUS ALLEZ NOUS GUIDER...

EH BIEN, MOI JE VAIS PASSER PAR UN AUTRE SOUS-SOL !

HEIN ? MAIS LEQUEL ?

85

88

96

98

LES BLA-BLAS DE YUU WATASE

Passons à autre chose... cet été, mes distributions d'autographes ont eu lieu à ... Osaka. J'étais super motivée puisque j'étais "chez moi" !! Je remercie tous ceux qui s'y sont rendus... j'ai été sidérée par la coquetterie de tous. Tout en signant des autographes je ne pouvais m'empêcher de lorgner. Je les reconnais, les gens de Osaka !(?). J'en ai vu pas mal avec des colliers ras du cou ainsi que des pendentifs en forme de "croix", d'ailleurs (tout en signant), lorsque j'ai questionné une personne elle m'a répondu qu'elle avait été influencée par le collier que porte Toya, celui qu'Aya lui a offert. La ressemblance était flagrante. J'adresse une deuxième fois mes remerciements à tous ceux qui m'ont envoyé des bouquets, des lettres et divers cadeaux. Quelques membres du club "famille et amis" étaient aussi présents et je leur envoie mes encouragements. Et j'espère rencontrer la prochaine fois tous ceux qui n'ont pas pu venir me voir, je parle aussi pour ceux qui étaient présents. D'ailleurs, qu'est-ce qu'il a pu faire chaud à Osaka ! Je sais que les étés sont très chauds et humides mais cette année c'était pire... À Tokyo nous n'avons rien à leur envier... En tout cas, j'ai été très heureuse de rencontrer les gens de Osaka. J'y ai trouvé de très jolis prénoms... Au fait, on m'a dit la chose suivante : "un bruit court que maître Watase serait un homme" (rire coincé), désolée d'être une femme. Vous pensez que c'est à cause de mon pseudonyme (+ mon style ?) ? Justement, je pensais vous parler avec l'accent de la région lors de mon petit discours d'accueil mais j'avais tellement le trac que j'ai oublié de le faire. Dommage ! C'était pourtant l'occasion rêvée pour ne plus former qu'un seul groupe ! J'essaierai la prochaine coup...

100

108

...
HEIN ?!

TOUJOURS
...

CHIDORI
...?

...
"TU M'AS
TOUJOURS"
QUOI...?
FINIS TA
PHRASE
...!!

JE N'AI QUE 17 ANS ET... JE SUIS DANS UNE SITUATION TRÈS CRITIQUE... CELA M'EF-FRAIE UN PEU... MAIS J'AI ÉTÉ AGRÉABLE-MENT SURPRISE ...

VA-T-IL BON-DIR DE JOIE ? SE METTRE EN COLÈRE ? VA-T-IL ME DIRE "CE N'EST PAS LE MOMENT" ?

JE VEUX LE METTRE AU MONDE... C'EST MON SOUHAIT

IL N'EST PAS SEU-LEMENT LÀ POUR PROUVER NOTRE LIEN... C'EST LA NAISSAN-CE D'UNE PRÉCIEUSE PETITE VIE !

CET ENFANT EST LE "FRUIT" D'UN AMOUR ISSU DE DEUX ÊTRES S'AI-MANT PAS-SIONNÉ-MENT...

MOI JE...

115

118

MONTEZ DANS LA VOITURE...

... OÙ SONT LES AUTRES ...?

TO... YA ?

ET SHOTA !?

....

... ET... TOYA ...

NOUS AVONS DÉJÀ DÉPASSÉ L'HEURE PRÉVUE... IL NE REVIENDRA PLUS !

MONSIEUR YUHI !? PAR ICI !

IL A DIT "AYA"... ? ET PUIS... CE COUP DE FEU !!?

CE N'EST PAS VRAI ?! TOYA... HÉ... TOYA !?

REGARDEZ... C'EST AINSI QUE TOUT DEVAIT SE TERMINER ...

JE PENSE QUE LE CHEF SAURA TRANCHER... J'IRAI LUI EXPLIQUER PERSONNEL-LEMENT ...

POF

....

PATRON, ALLEZ VOUS REPOSER DANS UNE AUTRE PIÈCE...

CLAC CLAC CLAC

REMETS UN PEU D'ORDRE... PENDANT CE TEMPS, JE VAIS EN PROFITER POUR ALLER ME SOIGNER...

GNN

"J'Y VAIS"

QUE S'EST-IL... PASSÉ ?!!

OUI, JE SAIS, MAIS TOYA... !! QUOI ?!... LUI AUSSI ... ?

BOBOM

BOBOM

... QUOI ?

BOBOM

QU'EST-CE QUE JE VAIS DIRE À AYA... ?!!

BOBOM

YUHI, ES-TU BIEN SÛR DE CE QUE TU AVANCES ?!!

... CHIDORI EST... ?!! C'EST HORRIBLE ... !

... ÉCOUTE, J'ARRIVE TOUT DE SUITE... COURAGE !

HEIN ?

... TOYA ÉTAIT DÉTERMINÉ À LA SAUVER ET... IL M'A DÉFENDU DE T'EN PARLER ...

... IL VOULAIT VÉRIFIER PAR LUI-MÊME SI MIKAGÉ AVAIT RÉELLEMENT... ENTREPRIS LA "RECONSTITUTION D'UNE ROBE DE PLUMES" ...

"J'AI TROUVÉ UNE PISTE CONCERNANT LA ROBE DE PLUMES DU CÔTÉ DE KANAGAWA..."

CHIDORI

IL N'A DONNÉ AUCUNE RÉPONSE ...

... UN COUP DE FEU S'EST FAIT ENTEN DRE ET... MAL- GRÉ LES APPELS QU'ON LUI A LANCÉ

... SHOTA LUI... EST SAIN ET SAUF... C'EST TOYA QUI L'A TIRÉ... D'AFFAIRE ...

ET TOYA ?!

DITES-LE- MOI...

134

LES BLA-BLAS DE YUU WATASE

Après Osaka, je me suis rendue à Fukuoka sur les chapeaux de roue. J'avais même reçu une carte d'une personne qui était désespérée de ne pouvoir se rendre à Osaka, c'était trop loin pour elle. Finalement, il y en a eu pour tout le monde... et puis on m'a même demandé d'aller à Okayama alors j'ai accepté de m'y rendre bientôt. L'emploi du temps n'étant pas encore fixé, il risque d'y avoir quelques changements alors n'oubliez pas de consulter les magazines.
...bon, le volume 12 de "Ayashi" est sur le point de vous faire vivre des moments très chauds. Et... Toya !? Chidori !? Ceux qui lisent le magazine peuvent déjà s'exclamer "Noooooon !" (ce qui est tout à fait normal). Beaucoup ont pleuré Chidori mais "Toya" a battu les records. Ce volume a provoqué plus de colère que de chagrin (rires). Il n'y a pas de quoi rire ?... Dites-vous ?... Pardon. Dans tous les domaines, Toya est le personnage qui a le plus de succès ainsi vous vous êtes tous trompés en pensant : "Je ne vois plus l'intérêt d'acheter les volumes suivants"... Oh non, ne faites pas ça ! Oh la la, j'appréhende la réaction de ceux qui lisent l'histoire dans le magazine... je vais avoir droit à une deuxième vague de crise passionnelle (sourire amer). Allez, allez, cool les amis... (Watase se fait toute petite). En tout cas, je ne peux plus revenir en arrière (elle prend ses jambes à son cou).

...C'EST HOR-RIBLE... LA CRUAUTÉ A DÉPASSÉ SES LIMITES... !!

MONSIEUR... TOYA... !? JE N'Y CROIS PAS... !! JAMAIS JE N'AU-RAIS CRU QUE...

JE PEUX REFERMER LA HOUSSE DOCTEUR HOWELL ?

NOUS DEVONS L'EMMENER EN SALLE DE DISSECTION !

NOUS AVONS REÇU L'ORDRE DU CHEF LUI-MÊME, NOUS DEVONS RÉCUPÉRER LA MOINDRE PETITE CELLULE QUI SERVIRAIT AUX EXPÉRIENCES... ELLES SERONT CONSERVÉES EN TANT QU'ÉCHANTILLON...

!

!!

MÊME APRÈS SA MORT...

GRIIP

HEIN ?!

VUE DE DERRIÈRE

LE CHEF COMPTE ENCORE SE SERVIR DE LUI !?

DE LUI

SPONG

144

...
CHIDORI,
QUE FAIS-
TU ?

TOUT EST MEN-
SONGE... JE
NE ME LAISSE-
RAI PAS DUPER
!

POURQUOI
RESTES-TU
INERTE ?

CE MATIN, LES
VISIONS QUE J'AI
EUES... TOYA DANS
UNE MARE DE
SANG... CÉRÈS,
CESSE DE M'EN-
VOYER DES IMAGES
CAUCHEMAR-
DESQUES !!

RÉPONDS-MOI !!...
DIS-MOI QUE CE
N'EST PAS VRAI !!

POURQUOI TOYA N'EST-IL PAS ENCORE RENTRÉ ?

JE SUIS POURTANT PATIENTE

ET AYA ? ELLE EST TOUJOURS DANS LE MÊME ÉTAT ?

 OUAIS... QUINZE JOURS ONT PASSÉ DEPUIS LES FUNÉRAILLES DE CHIDO-RI ET ELLE N'AFFICHE AUCUNE AMÉLIORATION, ELLE NE MANGE RIEN... ET À VRAI DIRE J'SUIS PAREIL...

COMME SI LE CAU-CHEMAR PERSIS-TAIT... JE ME DEMANDE SI JE NE RÊVE PAS ENCORE...

 CES MOMENTS QUE J'AI VÉCUS... LE POIDS DE CHIDORI SUR MES ÉPAULES... LA VOIX DE TOYA... RIEN QUE D'Y PEN-SER... JE TREMBLE COMME UNE FEUILLE !!!

SCRASH

...OH NON... CETTE FOIS, J'AI DU MAL À M'EN REMETTRE... !!

...ON M'A APPRIS QUE... AYA... EST ENCEINTE ET...

AYA TRAVERSE UNE PÉRIODE TRÈS DÉLICATE DE SA GROSSESSE ... QUE FAIT DONC TOYA !?

AYA ÉTAIT DONC BIEN PARTIE POUR NIIGATA !?

... RIEN DE GRAVE ! ILS SE SONT JUSTE UN PEU DISPUTÉS !... ELLE A DÛ REPARTIR POUR TOKYO ...

OUI... MAIS SON APPARTEMENT EST VIDE ! ON A DÛ SE CROISER, ELLE A QUITTÉ LE DOMICILE DU DOCTEUR ASSEZ TARD HIER SOIR !

AH BON... ? SI CE N'EST QUE ÇA... TENEZ-MOI AU COURANT !

...IL LEUR SERAIT ARRIVÉ QUELQUE CHOSE ?!

BIEN SÛR ! MERCI BEAUCOUP !

ENTENDU, J'AI COMPRIS !

... AYA !!

AYA, J'ES-PÈRE QUE TU NE...

SHURO !!

SDENG

SHURO, CONCENTRE-TOI PLUTÔT SUR TON BOULOT, AYA A LA TÊTE SUR LES ÉPAULES... JE SUIS CERTAINE QUE TOUT VA BIEN !

...OUI

... KEI ...

... EXCUSE-MOI MAMAN !

CELA VA FAIRE SIX MOIS QUE JE NE SUIS PAS VENUE...

LES BLA-BLAS DE YUU WATASE

…(je reprends courage) Eh bien, voyez-vous, malgré la mésaventure de Toya, nous commençons à élucider certains mystères et je vous demanderais de lire l'histoire jusqu'à la fin. Alors ! Aya va-t-elle retrouver une vie paisible une fois qu'elle aura récupéré la "robe de plumes" ? Cérès va-t-elle disparaître bien gentiment ?... C'est bien de se poser ces questions mais que faites-vous de Toya ?!... m'a-t-on sèchement demandé (sourire amer).
Allez, allez, respirez un grand coup… (Watase se fait encore toute petite) Euh… voilà… le volume cinq du roman de "Fushigi" est sorti dans la collection "Palette" ! Vous y trouverez un aperçu général de l'histoire. Si jamais il est épuisé chez votre libraire, ne lui passez pas commande, appelez directement Shogakukan, vous gagnerez du temps. Voici le numéro de téléphone : 03-3230-5749 (service des ventes). Les prochains volumes ne vont pas tarder (en décembre…) alors pensez à vous renseigner !
Bon, il va falloir que je me trouve du temps pour m'entraîner à réaliser des dessins sur PC. À propos, mon petit "Toutoufacteur" (un animal domestique qui vous apporte votre courrier) est une "tortue". Mon assistante lui a trouvé un super nom, elle s'appelle "Nabona"… Essayez de deviner pourquoi !!? Ouh la la, je dois me remettre au travail !
Sur ce, rendez-vous dans le prochain volume. Continuez à m'envoyer du courrier, s'il vous plaît même si cela me chagrine de ne pas pouvoir vous répondre…
À bientôt !
Août 1999

JE VAIS DEVOIR M'ABSENTER ENCORE, JE DOIS PARTIR LOIN !

MAIS JE VOULAIS À TOUT PRIX TE REVOIR

… DES AMIS À MOI SONT… MORTS…

… TOYA, LE GARÇON AVEC QUI J'ÉTAIS VENUE LA DERNIÈRE FOIS…

N'EST PLUS… LÀ

... IL Y AVAIT BIEN LONGTEMPS QUE JE N'AVAIS PAS DÎNÉ TRANQUILLEMENT ...

OUI... J'AI ENTREPRIS UN LOURD PROJET

CE QUI M'A OBLIGÉ À REPOUSSER NOTRE MARIAGE... VOUS TRANSMETTREZ MES HOMMAGES AU DIRECTEUR ...

VOUS ÊTES SI OCCUPÉ ?

NE VOUS EN FAITES PAS, CONTRAIREMENT À CE QUE VOUS PENSEZ, MON PÈRE NE CESSE DE M'ENCOURAGER À DEVENIR UNE BONNE ÉPOUSE ET PUIS... CE NE SERA QUE MEILLEUR, VOUS NE TROUVEZ PAS ?

172

PARDON ?

JE N'EN VEUX PAS

TOP

QU'AIMERIEZ-VOUS AVOIR ? UN GARÇON OU UNE FILLE ?

JE VOUS AVOUERAIS QUE JE PRENDS GOÛT À ÉTABLIR LES PROJETS QUE NOUS VIVRONS ENSEMBLE UNE FOIS MARIÉS... COMME PAR EXEMPLE... UN BÉBÉ ...

JE NE SOUHAITE PAS

AVOIR... D'ENFANT

À PROPOS, MON PÈRE SOUHAITE-RAIT QUE ...

OH... BIEN ENTENDU ! RIEN NE PRESSE ...

· · · · ·

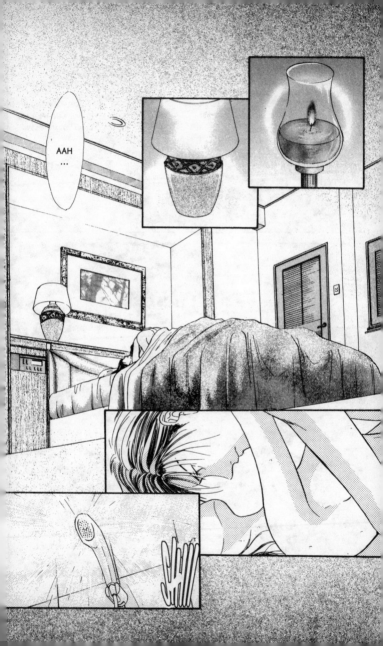

UNE HUMAINE ... PFF

POUR LA TERRE ? DITES PLUTÔT QUE C'EST POUR VOTRE BIEN !!

UN ENFANT ÂGÉ D'UN AN A ÉTÉ DÉFENESTRÉ PAR SA MÈRE...

BIP

PASSONS MAINTENANT À AUTRE CHOSE

LA GUÉRILLA DÉCLARÉE PAR LE PAYS N A...

BIP

... LA CRÉATION D'UN BEL ENVIRONNEMENT POUR LA TERRE ! ♪ 🎵

BIP

... AUTRE AFFAI-RE... ELLE CONCERNE UN DÉLIT D'UN ENFANT DE QUINZE ANS QUI...

RRRRR

!

DÉSOLÉ DE VOUS DÉRANGER CHEF MAIS...

QUOI !?

177

... ORDURE... !! COMMENT AS-TU OSÉ... TOUCHER AU CORPS DE CHIDORI ?!!

ÔTE TES SALES MAINS !!

POUR QUI TU TE PRENDS, HEIN ?!! TU N'ES QU'UN... SALAUD !!

C'EST FAUX !! IL Y A UNE GRANDE DIFFÉRENCE !!

POURQUOI ? IL N'Y A RIEN DE PLUS COURANT QU'UNE INSÉMINATION ARTIFICIELLE, DANS TON CAS, ELLE A ÉTÉ FAITE NATURELLEMENT MAIS LE RÉSULTAT EST LE MÊME ...

NOUS LEUR DONNERONS DÈS LE DÉPART UN ENVIRONNEMENT ET UNE ÉDUCATION DIGNES D'EUX ... !

TU AS RAISON... DES MANIPULATIONS ONT ÉTÉ EFFECTUÉES POUR METTRE AU MONDE DES ÊTRES DIFFÉRENTS LES UNS DES AUTRES MAIS ILS SONT TOUS D'UNE EXTRÊME PERFECTION...

MAIS L'ÊTRE HUMAIN EST BIEN PLUS COMPLEXE, D'AILLEURS, JE VIENS JUSTE D'AVOIR DES RAPPORTS SEXUELS... ET SANS AMOUR, JE N'AI PAS LA VOLONTÉ DE LAISSER DES HÉRITIERS...

AINSI LE MONDE A PU ÉVOLUER, ILS SE SONT IMMUNISÉS CONTRE TOUTES LES MALADIES ET ONT PU AFFRONTER LE CHANGEMENT DE LEUR ENVIRONNEMENT... LEUR SEUL BUT ÉTAIT D'ASSURER UNE DESCENDANCE PLUS FORTE DE GÉNÉRATION EN GÉNÉRATION...

AUTREFOIS, DES ÊTRES ASEXUÉS SE SONT PARTAGÉS EN MÂLES ET FEMELLES, ET CECI NI PLUS NI MOINS DANS LE BUT DE FUSIONNER LEURS DIFFÉRENTS GÈNES ...

JE PARLERAIS PLUTÔT D'UN ASSOUVISSEMENT SEXUEL PUREMENT BESTIAL... EN RÉALITÉ, NOUS DÉSIRONS TOUS UN MOMENT DE JOUISSANCE... MÊME S'IL FAUT ACCEPTER D'ÊTRE MANIPULÉ POUR CELA...

JE POURRAIS TE CITER DES EXEMPLES, COMME CES FEMMES QUI COUCHENT SANS SCRUPULES AVEC DES TYPES NIAIS RIEN QUE POUR L'ARGENT, DES FEMELLES IMMATURES SANS CERVELLE...

...TOUTES CES FEMMES STUPIDES QUI SONT VOUÉES UN JOUR OU L'AUTRE À METTRE DES ENFANTS AU MONDE, RIEN QUE D'Y PENSER, ÇA ME DONNE LA CHAIR DE POULE...

IL DÉBLOQUE COMPLÈTEMENT ... !!

"AYA"

C'EST FAUX !! MAMAN M'A TOUJOURS TÉMOIGNÉ DE L'AMOUR !!

COMBIEN DE PARENTS ONT ENFREINT LA LOI DE LA NATURE, COMBIEN D'ENTRE EUX TUENT LEURS ENFANTS SANS SCRUPULE ?

DANS LE MONDE DES VIVANTS, SEULS LES ÊTRES BRILLANTS PEUVENT SURVIVRE... ALORS JE NE VOIS PAS OÙ EST LE MAL DE VOULOIR, DÈS MAINTENANT, S'ENTOURER DE NOUVELLES DESCENDANTES EN ATTENDANT SA PROPRE "DÉCHÉANCE" ?

...MÊME SI CE N'EST PAS LE CAS DE TOUT LE MONDE, JE TROUVE QUE CELA REVIENT AU MÊME SI L'ON N'A PAS LA FORCE D'OUVRIR LES YEUX ET D'AGIR !!

JE PENSE QUE TU ES BIEN PLACÉE POUR COMPRENDRE, NON ?

AYASHI NO CERES – VOLUME 12 (FIN)

"AYASHI NO SERESU !" vol. 12
un conte de fées céleste
© 1996 by WATASE Yuu

All rights reserved
Original japanese edition published in 1996 by SHOGAKUKAN Inc., Tokyo
French translation rights arranged with SHOGAKUKAN Inc.
for Belgium, Canada, France, Luxembourg and Switzerland

Édition française :
© 2002 TONKAM
BP 356 - 75526 Paris Cedex 11.
Traduction : Nathalie Martinez
Adaptation, Lettrage et Maquette : Édition TONKAM

Achevé d'imprimer en mars 2002
sur les presses de l'imprimerie Darantiere à Quétigny (Côte d'Or)
Dépôt légal : avril 2002